D1093752

Pour les géants

M.D.

L'autobus
Copyright © 2014 Marianne Dubuc
Copyright © 2014 Comme des géants inc.

Révision : Lise Duquette

Dépôt légal : 1er trimestre 2014
Bibliothèque et Archives nationales du Québec
Bibliothèque et Archives Canada

**Catalogage avant publication de
Bibliothèque et Archives nationales du Québec
et Bibliothèque et Archives Canada**

Dubuc, Marianne, 1980-
L'autobus
Pour enfants de 3 ans et plus.
ISBN 978-2-924332-01-6
I. Titre.
PS8607.U224A97 2013   jC843'.6   C2013-942223-4
PS9607.U224A97 2013

Distribution : Diffusion Dimedia
www.dimedia.com

Imprimé en Chine par Toppan Leefung Printing Limited

Comme des géants inc.
6504, av. Christophe-Colomb
Montréal (Québec) H2S 2G8
www.commedesgéants.com

Marianne Dubuc

L'AUTOBUS

comme des géants

Au revoir, maman! Oui, oui! Je serai sage.

C'est la première fois que je prends l'autobus toute seule.

Maman m'a donné un goûter et ma veste, si j'ai froid.

Je n'aurai pas froid. Je n'ai jamais froid.

Je me demande combien d'arrêts l'autobus fera. Je pourrais les compter...

— Oh ! les jolies fleurs ! Merci beaucoup, madame.

Tiens, nous traversons la forêt.

Il a l'air gentil, le petit loup.

Heureusement, maman m'a donné deux galettes.

Ce sont les meilleures, celles au beurre.

Oh, oh! Je ne vois plus rien!

Qui a éteint la lumière ?

Qu'est-ce que je fais là, moi ?! Où est ma galette ?

Il y a quelque chose qui cloche...

Voilà qui est mieux.

— Au revoir, petit loup ! N'oublie pas, j'habite la maison à droite du chemin, après le grand tilleul.

Je me demande ce qu'il y a dans cette énorme boîte.

Attention! Oh! le filou!

Ce n'est pas bien de voler.

Tout le monde le sait.

Allez, ouste, le vilain!

Dommage que je n'aie plus de galettes...

Combien d'arrêts ça fait, déjà? Oh! et puis zut! J'ai oublié de compter.

Je reconnais les maisons. Je ne suis plus très loin, à présent.

Dis donc, il dort longtemps, celui-là.

Le prochain arrêt, c'est le mien. Je ne dois rien oublier. Mon petit panier et ma veste.

Grand-mère! Grand-mère!

Je suis là !

J'ai tant de choses à te raconter...